TOTO ET OTTO

Robert O. Bruel

Illustrations de
Nick Bruel

Texte français
de Cécile Gagnon

Éditions
SCHOLASTIC

Pour Mary, alias Yusing, alias maman, alias Wiffy.

Catalogage avant publication de Bibliothèque et Archives Canada

Bruel, Robert O.
Toto et Otto / Robert O. Bruel; illustrations de Nick Bruel;
texte français de Cécile Gagnon.

Traduction de : Bob and Otto.
Niveau d'intérêt selon l'âge : Pour enfants de 3 à 8 ans.
ISBN 978-0-545-99136-0
I. Bruel, Nick II. Gagnon, Cécile, 1938- III. Titre.

PZ23.B778To 2008   j813'.6   C2008-900705-0

Édition publiée par les Éditions Scholastic, 604, rue King Ouest, Toronto (Ontario) M5V IEI,
avec la permission de Roaring Brook Press, une division de Holtzbrinck Publishing Holdings Limited Partnership.

Conception graphique : Jennifer Browne

5 4 3 2 I   Imprimé au Canada   08 09 10 11 12

Voici deux très bons amis :

TOTO...

C'est le printemps : tout respire l'entrain
et la gaieté.

Les deux bons amis passent leurs journées
à creuser la terre, à jouer dans l'herbe
et à manger les feuilles qui tombent
du vieil arbre.

Puis, un jour...

Toto
lève
la tête.

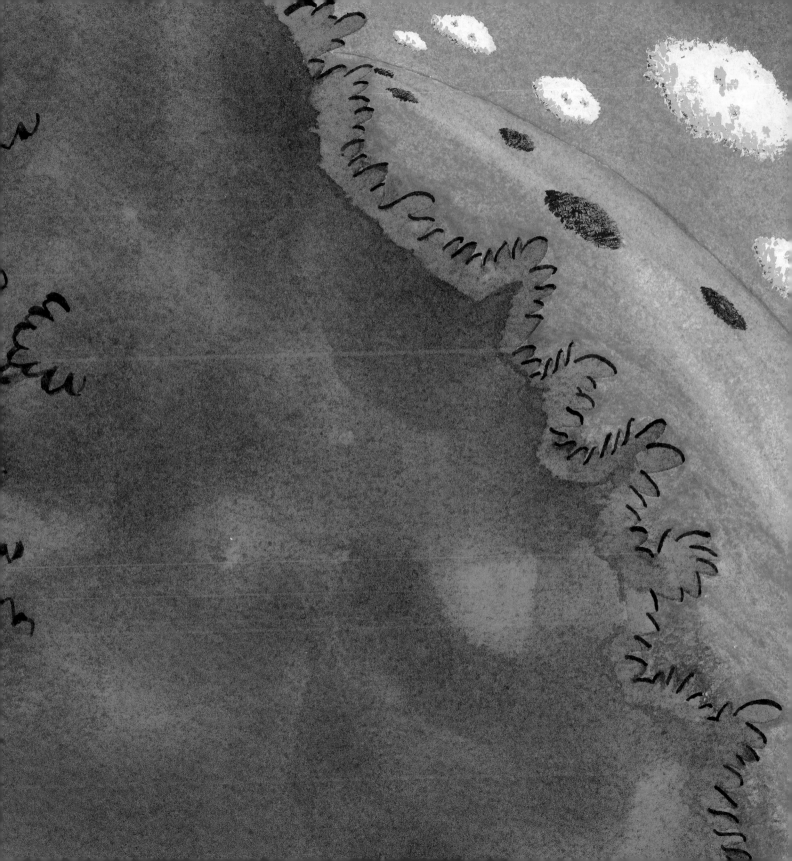

– Je dois grimper
en haut de cet arbre, dit-il.
Je veux voir à quoi ressemble
le monde de là-haut.

– Là-haut? On est si bien ici, en bas, dit Otto. Quand l'air est chaud et sec, on peut se creuser un trou dans la terre où il fait frais et humide. Et s'il pleut, on peut remonter! La vie est agréable ici. Pourquoi grimper là-haut?

– Parce que c'est important, déclare Toto.
Et il se met à grimper dans l'arbre.

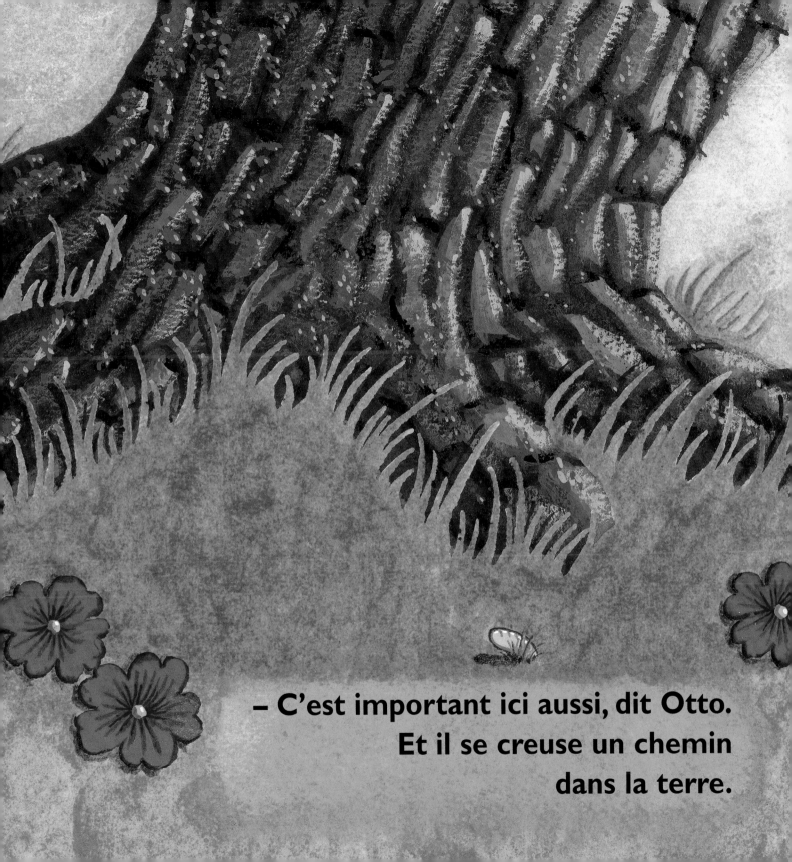

– C'est important ici aussi, dit Otto.
Et il se creuse un chemin
dans la terre.

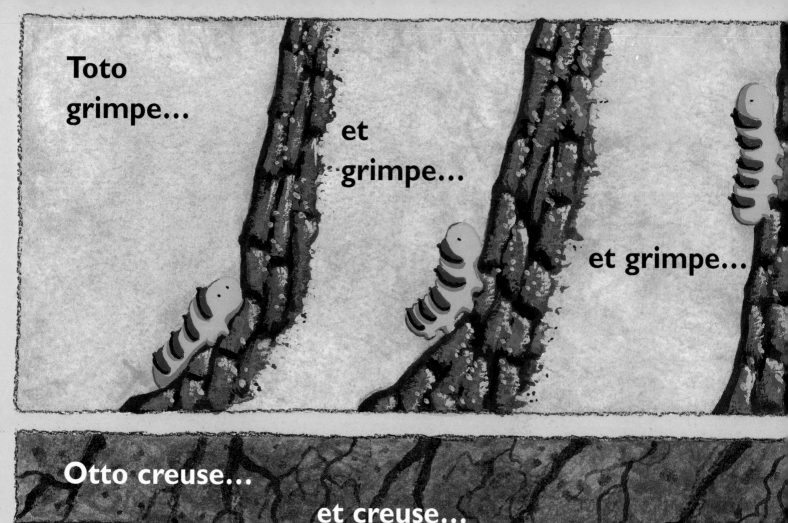

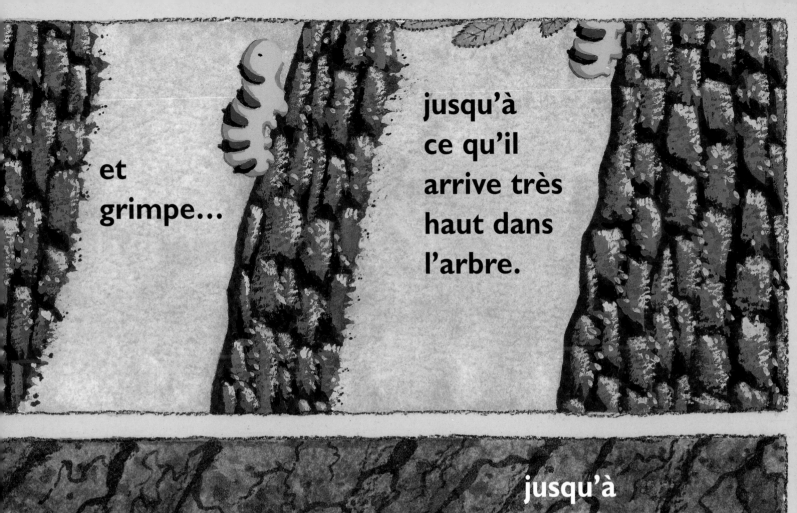

et
grimpe…

jusqu'à
ce qu'il
arrive très
haut dans
l'arbre.

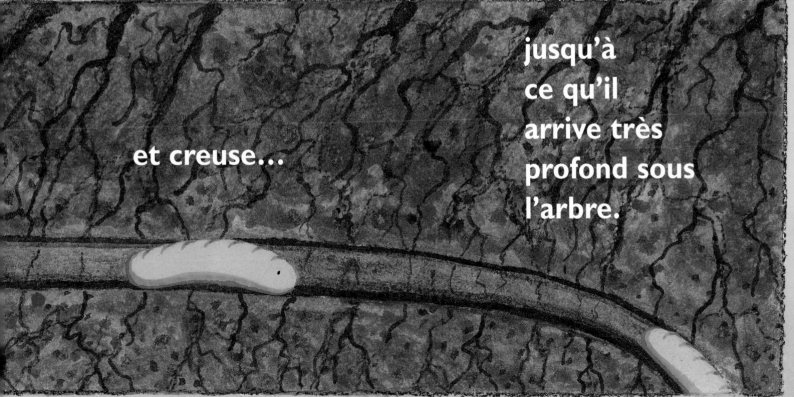

et creuse…

jusqu'à
ce qu'il
arrive très
profond sous
l'arbre.

« Les feuilles vertes et fraîches sont délicieuses là-haut », pense Toto.

Et il mange...

« Ces vieilles feuilles pourries sont délicieuses ici-bas », songe Otto.

Et il creuse encore...

et mange...

et mange...

jusqu'à ce qu'il sente venir le sommeil.

et creuse...

et creuse...

jusqu'à ce qu'il sente venir le sommeil.

Alors, Toto s'endort...

et il dort...

et dort...

Mais Otto, lui, creuse toujours...

et il creuse...

et creuse...

et dort...

pendant
des jours
et des nuits.

et creuse
encore.

et
creuse...

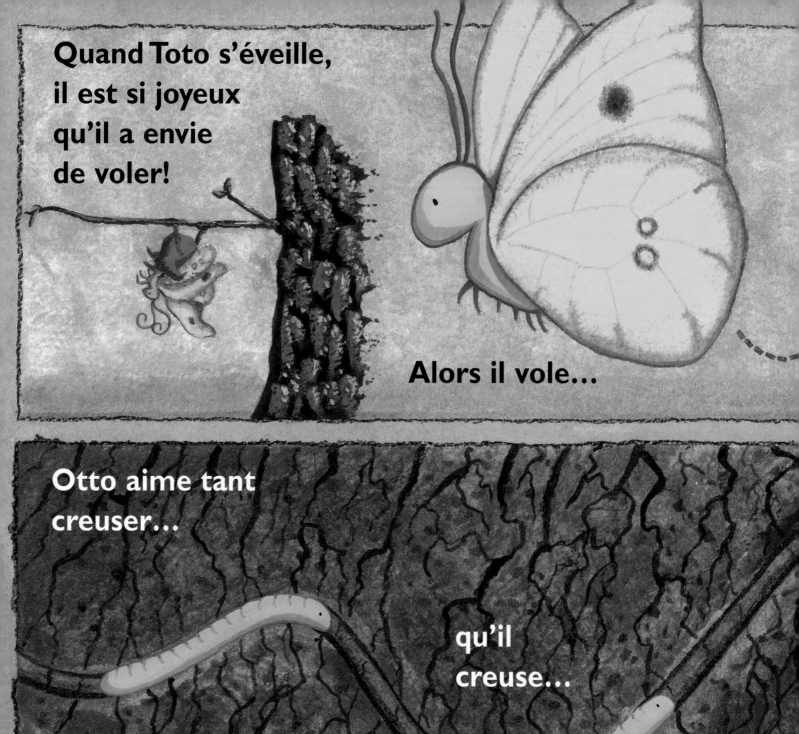

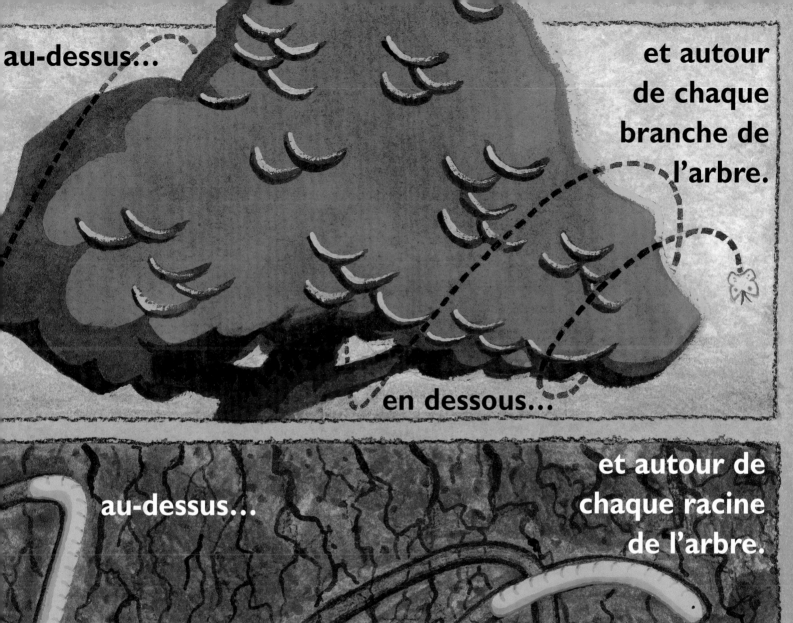

Puis, Toto se rend compte que son vieil ami lui manque et qu'il s'ennuie des bons moments passés ensemble.

Otto se rend compte que son vieil ami lui manque et qu'il s'ennuie des bons moments passés ensemble.

Alors, Toto descend
rejoindre Otto.

Alors, Otto remonte
rejoindre Toto.

– Parce que, répond Otto, je pense que si j'avais grimpé dans l'arbre avec toi, peut-être que de belles grandes ailes comme les tiennes auraient poussé sur mon corps… et que je pourrais voler!

MAIS JE NE L'AI PAS FAIT.

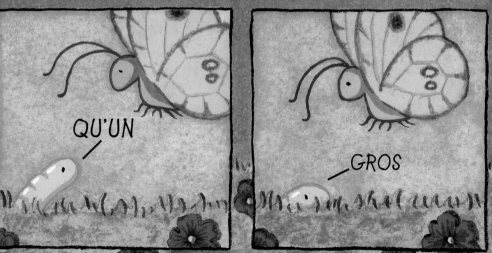

– Ce n'est pas vrai!
dit Toto.

Pendant que tu creusais… je ne faisais que manger.

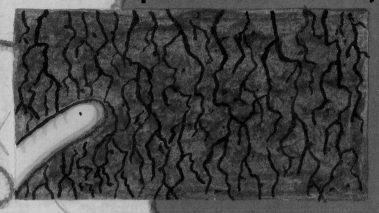 

Pendant que tu creusais… je ne faisais que dormir.

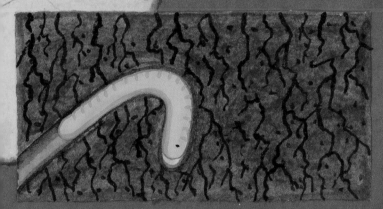 

Pendant que tu creusais… je ne faisais que papillonner.

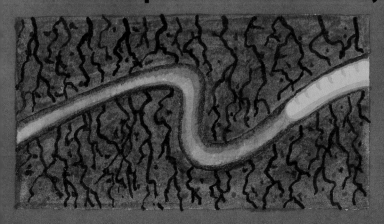 

Mais toi, en creusant,
tu aérais la terre... alors
les racines ont pu boire l'eau de pluie,

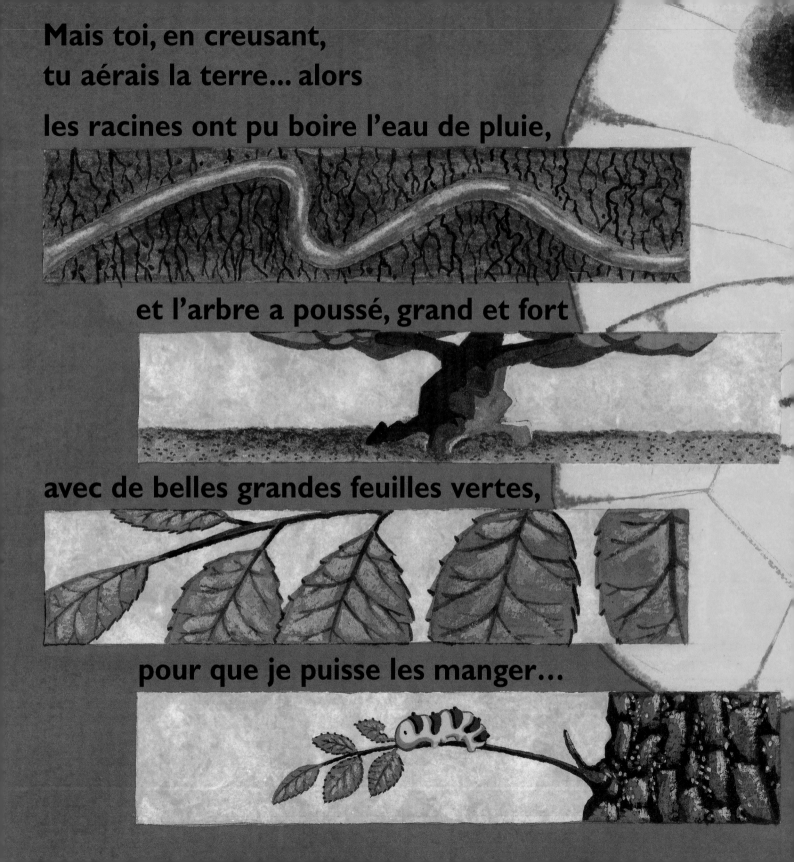

et l'arbre a poussé, grand et fort

avec de belles grandes feuilles vertes,

pour que je puisse les manger...

ET QUE
MES AILES
APPARAISSENT.

C'est à toi que
je dois tout, dit Toto.
Tu n'es pas qu'un
ver de terre,
tu es mon
meilleur ami!

Et les amis,
c'est important.